Todos los cuentos de Serafín Cordero:

- **LOS COCHINOS** *o un ramillete de papelajos*
- **EL PASTOR** *o en qué piensan los corderos antes de dormirse...*
- **¿QUIÉN HA SIDO?** *o un vientecillo perfumado...*
- **LA HERMANITA CARNÍVORA** *o la enfermedad del cordero loco*

¿Quién ha sido?

Traducción: Elena Gallo Krahe
Edición: Celia Turrión

Título original: *Qui? Ou un petit vent de folie*
© Hachette Livre, 2007
© De esta edición: Editorial Luis Vives, 2008
  Carretera de Madrid, km. 315,700
  50012 Zaragoza
  teléfono: 913 344 883
  www.edelvives.es

ISBN: 978-84-263-6709-9

Printed in Singapore by Tien Wah Press

Narrado por **Taï-Marc Le Thanh**

Ilustrado por **Rébecca Dautremer**

Color con la colaboración de
Loïs Delage y Luis Castro

¿Quién ha sido?

o un vientecillo perfumado...

Personajes

Un corderito

Un lobito

Un poco de mala fe

EDELVIVES

Aquella mañana, Serafín y su mejor amigo, Ludwig Lobo-Feroz, jugaban con los cochecitos.
El ambiente era relajado.

 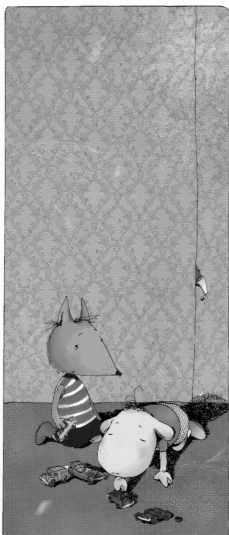 

—¡Pero bueno!   —¿Quién se ha tirado un pedo?

—...

—Pero, Ludwig, ¿no ves que el papel de la pared
se está despegando por todas partes...?

—Por eso hace ruido.

—Ya, pero... huele mal.

—Pero, Ludwig, ¿es que nunca has olido
el pegamento del papel pintado?

—¡Bah!, qué pesado eres, Ludwig. Vamos a jugar
en el columpio del jardín.

—¡Pero bueno!, ¿quién se ha tirado un pedo?

—Pero, Ludwig, ¿no ves que es primavera y que la naturaleza está despertando y crecen las flores, y que al crecer hacen ruido?

—¡Qué bonita es la naturaleza! ¡Qué bonita! ¡Es preciosa!

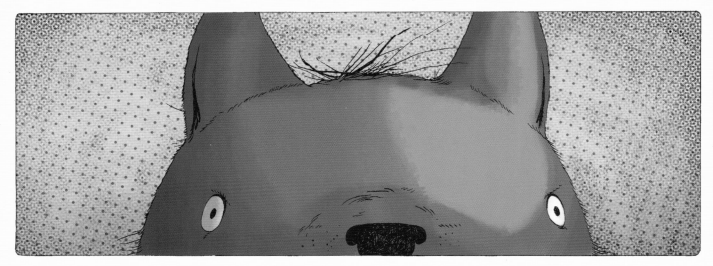

—Ya, pero es que este olor...

—¡Pero Ludwig! Es el olor de la primavera. Pobrecillo, ¡te queda tanto por aprender en la vida! Vamos a jugar a las canicas, que me estás poniendo nervioso.

—¡Mira! ¡Ahí, ahí!

—Pobre Ludwig...,

¿no has visto nada...

raro?

—Pues... no...

—Ahí, en el suelo.

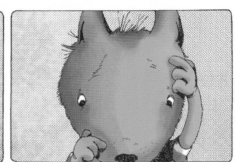

—Pues...

—Ese bulto en el suelo...

—Pues...

—¡Piensa un poco, Ludwig!

—Pero, Ludwig, ¡es un topo!

—¡Un topooooo!

—¡Un topo que canta y hace exactamente ese ruido!

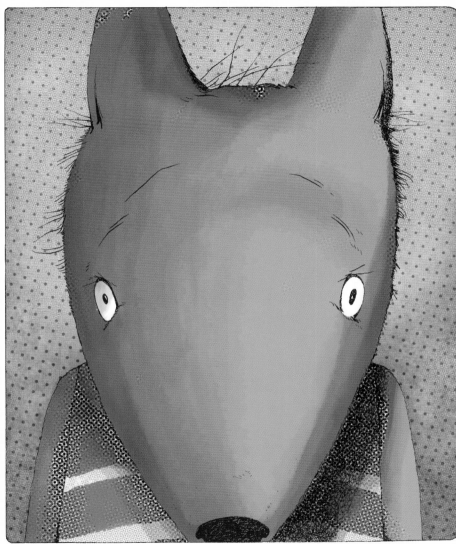

—¡Vamos, pero si todo
el mundo lo sabe!

—¡Ah!

—¡Basta ya de tanto alboroto! Aquí hay gente que intenta jugar a las canicas.

—Vámonos de este triste lugar
a jugar al mikado.

—...

—¡Bien! ¡Me encanta
el mikado!

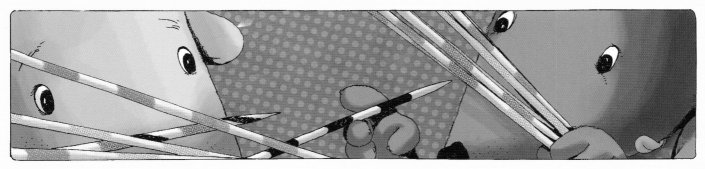

—Oye, Ludwig..., ¿no me dices nada? —No.

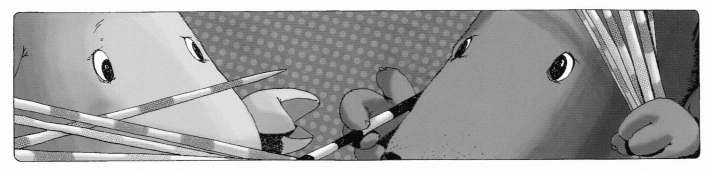

—¿De verdad? —Que no.

—Bueno, vamos al jardín a jugar a pídola.

—¡No me lo puedo creer!

—¿Cómo te atreves? ¡Qué cara!
¡Pero bueno..., pero bueno...!